12,50

ACHT DAGEN MET ENGEL

Voor iedereen die bij de Kindertelefoon werkt

Als je eens wilt praten over dit boek of over
iets anders kun je altijd de Kindertelefoon
bellen – elke dag van 14 tot 20 uur.
De Kindertelefoon is gratis en anoniem:
wat je vertelt blijft geheim.
Het nummer is 0800 0432.
www.kindertelefoon.nl

DE KINDER TELEFOON

Tanneke Wigersma

Acht dagen met Engel

Lemniscaat Rotterdam

Wil je meer weten over onze boeken?
Ga naar www.lemniscaat.nl

Omslagillustratie: Nynke Talsma
Nederlandse rechten Lemniscaat b.v. Rotterdam 2004
ISBN 90 5637 618 7

Druk: Drukkerij C. Haasbeek b.v., Alphen aan den Rijn
Bindwerk: Boekbinderij De Ruiter, Zwolle

Dit boek is gedrukt op milieuvriendelijk, chloorvrij gebleekt en verouderingsbestendig papier en geproduceerd in de Benelux, waardoor onnodig en milieuverontreinigend transport is vermeden.

De eerste dag

‘En toen kwam die koe op me afrennen.’ Trista buigt haar vingers tot horens en boeht naar de groep.
Alle kinderen moeten lachen, behalve Silke. Ze denkt aan de koe. Stel, je bent een koe. Je loopt de hele dag te eten. Groen gras. Lekker. Silke buigt haar hoofd om bij het gras te komen. Haar bruine, sluike haar verandert in twee oren. Haar groene ogen worden grote, bruine ogen. Haar neus wordt een roze, vochtige neus. Ze heeft geen T-shirt met strepen meer aan maar een wit vel met zwarte vlekken. Ik ben een koe, denkt ze.
Ik sta in de wei. De zon schijnt, maar ik ga niet liggen. Ik loop. Stap voor stap. Ik heb een zwaar lichaam dat maar moeizaam vooruitkomt. Het lijkt of ik door de modder bagger. Met elke stap trilt de aarde. Ik stap. Dat is te langzaam. Ik wil sneller vooruit. Ik wil de wei uit. Ik ren. Ik ren steeds harder. Mijn voorpoten raken de grond kwijt. Aan mijn poten groeien veren, onder en boven. Mijn achterpoten worden lichter en dun. Ik heb geen koeienlichaam meer. Het is licht. Ik heb een lichaam dat makkelijk door de wind weggeblazen kan worden. Ik ben een vogel.

De wei ligt onder me. Ik vlieg hoog. Zo hoog dat ik bij de zon kom. De aarde ben ik kwijt.
'Heeft er iemand nog iets te vertellen over het weekend?' vraagt juf Marian. Silke schrikt van haar stem. Haar vleugels worden armen en handen. Haar pootjes worden voeten. Haar vogellichaam wordt een mensenlichaam. Ze vliegt niet door de lucht, maar zit op haar eigen plek in de kring. Silke kijkt naar de juf. Ze houdt een stapel blaadjes in haar handen.
'Vorige week hebben jullie een opstel over vriendschap geschreven,' zegt juf Marian. 'Ik wil een paar van jullie vragen het voor te lezen.' Ze kijkt naar Silke. Silke is een meisje in een kring op school. Geen weiland meer. Weg is de zon.
'Het gaat niet echt over vriendschap, maar het is wel een goed verhaal,' zegt juf Marian. 'Wil je het voorlezen?'
'Jawel,' zegt Silke. Ze pakt haar opstel aan. Iedereen kijkt naar haar. Ze buigt zich over het opstel. Met een zachte stem begint ze te lezen. 'Een beer voor Sophine. Het was winter. Ik liep in de stad maar ineens begon het te sneeuwen. Het leek wel een sneeuwstorm zoveel vlokken kwamen er naar beneden. Snel ging ik een winkel binnen. Het was een speelgoedwinkel. Ik wilde daar wachten tot de sneeuwbui over was en ondertussen keek ik wat rond. Er was een kast met knuffels. Op de bovenste plank

stond een grote witte beer. Hij keek me aan en het leek net of hij zei neem me mee. Ik ging op mijn tenen staan en pakte hem. Niet voor mezelf want ik houd meer van konijnen, maar voor Sophine. Mijn zusje houdt heel erg van beren. Ze heeft een berenposter op haar deur. Ze heeft berensloffen en een berenpyjama en heel veel knuffelberen. Grote en kleine. Dikke en dunne. Ze heeft zelfs een zwarte beer. Maar er is één beer die ze nog niet heeft. Een ijsbeer. De grote witte beer die ik in mijn handen hield was een ijsbeer. Ik heb hem voor haar gekocht. Door de achterdeur ben ik naar mijn kamer gegaan en ik heb de beer achter een stapel strips onder mijn bed verborgen. Hij staat de hele winter al onder mijn bed. Zaterdag is mijn zusje jarig. Ze wordt acht. Dan krijgt ze haar beer.'
Het opstel is uit en de klas blijft stil. Silke kijkt op naar juf Marian, die tegenover haar zit. Ze knikt met een glimlach.
'Tof, zo'n beer,' zegt Trista. Ze kijkt Silke aan, maar Silke kijkt naar de grond. Ze kijkt naar de vlekken op het tapijt.

De bel gaat. Iedereen staat op, pakt zijn tas in en rent het lokaal uit. Silke staat ook op. Ze legt de klapper in haar bakje. Ze doet haar pennen in haar etui en stopt het samen met haar agenda in haar tas. Als ze het lokaal uit

wil lopen, staat juf Marian voor de deur. Ze houdt haar tegen. 'Wacht even.'
Silke kijkt haar vragend aan.
'Gaat het wel goed met je?'
'Ja hoor.'
Juf Marian fronst haar wenkbrauwen. 'Je bent zo stil. Alsof je steeds met je gedachten ergens anders bent.'
'O,' zegt Silke. Alle kinderen in de klas zitten de hele tijd te schreeuwen en te roepen. Juf zou blij moeten zijn met iemand die zijn mond houdt.
'Als er iets is, dan kun je altijd naar me toe komen.'
'Ja,' zegt Silke. Ze wil doorlopen, maar juf staat in de weg. Dan doet ze een stap opzij, zodat Silke erlangs kan.
'Tot morgen,' roept juf Marian haar na. Maar Silke hoort het niet. Ze loopt snel de school uit.

Silke loopt naar het park. Het park is groot. Er is een wei met een vijver. Er is een speelwei met een schommel en er is een kleine wei waar bijna nooit iemand komt. Daar ploft ze neer op de bank. Over het pad komt een man aangelopen. Hij roept iets naar haar wat ze niet kan verstaan. Ze haalt haar schouders op. De man komt hijgend voor haar staan. 'Die hond die hier voorbij kwam rennen,' zegt hij ongeduldig.
Ze kijkt naar zijn zweterige gezicht en zijn rode wangen.

‘Hond?’ vraagt ze.
‘Ja, een harig beest, natte neus. Zo hoog.’ De man houdt zijn hand boven zijn knie. ‘Snap je? Heb je gezien waar die heen ging?’ Ze kijkt naar hem. De wei lijkt een stuk kleiner met die man erin. Maar een hond heeft ze niet gezien. ‘Ik zou ’t niet weten,’ zegt ze.
De man zucht en draait zich om. ‘Wodan!’ schreeuwt hij. De man verdwijnt tussen de struiken. ‘Wodan!’
‘Wie noemt zijn hond dan ook Wodan?’
Silke kijkt om. Naast haar op de bank zit een meisje. Ze heeft donkere krullen en heel blauwe ogen. Ze lacht. ‘Ik zou geen Wodan willen heten. Hij was nou niet bepaald een aardige god.’
Het zal wel, denkt Silke. Ze pakt een plastic zakje uit haar tas. Er zit een overgebleven boterham met hagelslag in.
‘Hoe zou jij je hond noemen?’ vraagt het meisje.
‘Ik hoef geen hond,’ zegt Silke. Ze neemt een hap.
‘Maar als je er een had, hoe zou je hem dan noemen?’
‘Wat maakt mij dat uit,’ zegt Silke.
‘Je denkt niet eens na,’ zegt het meisje. Ze kijkt Silke doordringend aan. Het meisje heeft ogen zo blauw als de lucht op een warme zomerdag. Eindeloos blauw zonder spatje of vlekje. Silke heeft nog nooit zo’n kleur ogen gezien. Haar vader heeft ook blauwe ogen, maar die zijn grijsblauw. IJsblauw. Koud. Ze kijkt snel weg.

‘Wodan!’ De hijgende man komt uit de struiken, zonder hond.
‘Hij rende het park uit,’ zegt het meisje. Ze wijst naar het pad.
‘Bedankt,’ zegt de man en begint het pad af te rennen.
Ook weer opgehoepeld, denkt Silke. Nou dat krullenkind nog. Vanuit haar ooghoeken kijkt ze naar haar. Het meisje schuift met haar ene schoen een hoop zand bij elkaar, die ze met haar andere voet weer stuk maakt. Het gaat aan één stuk door.
Silke pakt het mobieltje. Ze heeft het van haar vader gekregen. Er zit een leuk spelletje op met tien levels. Ze komt al tot level drie. Als ze het aanzet, klinkt er een liedje. Dan komt er een ruimteschip aanvliegen. Vanuit het schip moet je jacht maken op buitenaardse wezens. Die kan je met een laserstraal vernietigen. Het meisje pakt een zakje uit haar broekzak. Met een hoop gekraak scheurt ze het open. Silke schiet een paar ruimtewezens neer. Van level één gaat ze naar level twee.
‘Wil je ook?’ Het meisje houdt het zakje voor Silkes neus.
Silke schudt haar hoofd en speelt verder.
‘Neem maar. Het is lekker.’
Het zakje ritselt. Ze legt het mobieltje neer en pakt het zakje aan.
‘Mooi,’ zegt het meisje en wijst naar het mobieltje.

‘Gekregen.’
‘Voor je verjaardag?’
‘Nee.’ Silke bekijkt het zakje. Het is blauw, met witte vleugels erop.
‘Wat zijn dit?’ vraagt ze.
‘Vleugelsnoepjes.’
Nooit van gehoord, denkt ze. Ze pakt er een uit en steekt het in haar mond. Het smaakt zoet en luchtig. Zoiets lekkers heeft ze nog nooit geproefd.
‘Lekker hè?’ zegt het meisje. Ze zuigt haar lippen naar binnen.
‘Gaat wel,’ zegt Silke. Haar mobieltje geeft een pieptoon. Ze heeft te lang gewacht en nu is ze haar zeven levens kwijt.
‘Ik zou mijn hond Pizza noemen,’ zegt het meisje.
‘O.’
‘Vind je dat niet leuk?’
‘Dan denkt iedereen dat je honger hebt als je hem roept,’ mompelt Silke. ‘Of dat je gek bent.’
Het meisje haalt haar schouders op. ‘Wat is gek?’
Silke begint opnieuw te spelen.
‘Ik vind niet snel iets gek,’ zegt het meisje.
Omdat je zelf gek bent, denkt Silke. Ze let niet op en verliest twee levens achter elkaar. Stom spel. Ze zet het uit en stopt het mobieltje in haar tas. Het meisje houdt het zak-

je met vleugelsnoepjes omhoog, maar Silke staat op en loopt het grasveld op. Ze bukt zich om klaver te plukken. Het blad stopt ze in het lege boterhamzakje. Het meisje komt naast haar staan. 'Waarom doe je dat?'
Ik wil wat te eten hebben onderweg, denkt Silke. Nou goed? Maar dat zegt ze niet. 'Ik heb een konijn.'
'Leuk.'
Silke plukt door. Haar konijn is dol op klaver. Wortels vindt hij lekker, en gras, maar klaver heeft hij het liefst.
'Hoe heet-ie?'
'Ko.'
'En van achteren?'
'Van achteren heeft hij een staart,' zegt Silke. Ze gaat rechtop staan. Het meisje ook. Silke doet alsof ze het niet ziet. Ze doet haar tas dicht en loopt het veld af, het pad op.
'Wacht,' roept het meisje.
Silke blijft staan.
'Ik woon net in deze stad en ik weet niet hoe ik thuis moet komen.'
'Waar moet je naartoe?'
'De Lengestraat.'
Dat is vlak bij mij, denkt Silke. 'Loop maar achter me aan.'
Het meisje veert op. Ze glimlacht en gaat naast Silke lopen.

'Ik heet Engel,' zegt ze.
'Ik niet,' zegt Silke.
Engel giechelt. Ze lopen door het park, over het pad door de grote wei. Engel loopt met haar armen te zwaaien.
'Hoe heet jij?' vraagt ze.
'Silke,' zegt Silke.
'Mooie naam.'
'Ik heb hem niet uitgekozen. Jij hebt een rare naam. Wie heet er nu Engel?'
'Ik,' zegt Engel. 'Ik heet Engel.'
'Dat is toch geen naam. Deze kant op.' Ze lopen het pad af, het park uit. Voor het park ligt een drukke weg. Er rijden auto's en brommers. Ze kijken naar links en naar rechts. Als er een gat valt in de verkeersstroom steken ze over.
'Ze moeten hier een zebrapad aanleggen. We hebben wel iets beters te doen dan mensen helpen met oversteken,' mompelt Engel boos.
Ze praat nog tegen zichzelf ook, denkt Silke. Stom kind. Ze stapt stevig door. Engel is kleiner. Ze moet grote stappen doen om Silke bij te houden. 'Ik ben hier gisteren komen wonen,' zegt ze. 'Waar woon jij?'
'In de Weitstraat.'
'Vind je het hier leuk?'
'Best wel,' zegt Silke.

‘Zusjes en broertjes?’
‘Eén zusje.’
‘Heb je veel vriendinnen?’
Hallo, kruisverhoor, denkt Silke. ‘We gaan hier naar links,’ zegt ze. Ze botsen tegen elkaar omdat Engel rechts wil gaan en Silke naar links gaat. Silke schrikt als Engel opeens zo dichtbij komt. Ze springt naar achteren.
‘Sorry,’ zegt Engel.
‘Geeft niks,’ mompelt Silke.
Ze lopen door de straat. De huizen zijn hoog en hebben grote ramen. Elk huis heeft een stenen trap voor de deur. Elke deur heeft een andere kleur.
‘Mooie huizen,’ zegt Engel. ‘En zo groot ook.’
Silke blijft staan. ‘Hier woon ik. Jij moet de straat uitlopen, hoek om en daar is de Lengestraat.’
‘Dank je wel,’ zegt Engel.
Silke loopt naar de voordeur. Ze trekt aan het touwtje dat uit de brievenbus hangt. Als ze zich omdraait om de deur dicht te trekken, ziet ze dat Engel er nog staat. Ze zwaait.
‘Tot morgen,’ roept ze.
Tot morgen? denkt Silke. Ze trekt de deur met een klap achter zich dicht. Hoezo tot morgen?
In de gang staat haar vader. Hij bladert in het telefoonboek.
‘Hoi.’

‘Dag Silke,’ zegt hij zonder op te kijken. Hij slaat de bladzijden vlug om. Alsof hij iets niet kan vinden. Dan klapt hij het boek dicht. Ze loopt langs hem heen. Vader buigt zich om haar een kus te geven, maar ze schiet snel de trap op. Vader grinnikt. ‘Kom eens terug.’
Ze loopt terug. Vader spreidt zijn armen wijd uit. ‘Wat doet de prinses?’
Ze buigt en geeft hem een zoen op zijn neus.
‘De koning bedankt,’ zegt hij en maakt ook een buiging.
‘Kom je theedrinken?’ roept moeder vanuit de keuken.
‘Nog één zoen.’ Weer spreidt hij zijn armen wijd uit. Ze zoent hem nog een keer. Op zijn wang.
‘De prinses zoent zacht,’ fluistert hij, ‘zachter dan de koningin.’
Silke giechelt. Vader wappert met zijn hand. Ga maar naar je moeder, betekent dat. Hij loopt de praktijk binnen.
‘Sophine en ik willen weten hoe het op school was,’ roept moeder.
‘Kom zo,’ roept Silke terug. Ze loopt de trap op naar de overloop. Er zijn vier deuren. Eentje gaat naar de kamer van Sophine. Eén gaat naar de kamer van Silke. Eén is de deur van de slaapkamer van vader en moeder en de laatste deur is die van de badkamer. Ze opent de deur van haar kamer. Onder het raam staat een grote houten bak

met een deurtje met gaas erin. Een wit konijn gaat tegen het gaas op staan.
'Hoi Ko.'
Ze doet de deur dicht.

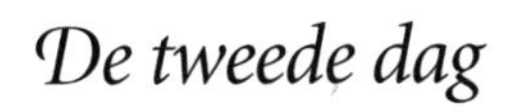
De tweede dag

Alle kinderen zitten met elkaar te praten, want juf is even weg. Silke zit alleen aan tafel. Haar handen liggen op het blad en rollen een potlood heen en weer. Ze kijkt naar buiten. De bomen hebben weer blaadjes. De boom op het schoolplein is een grote wolk van lichtgroen blad met een stam eronder.

Er vliegt een mees langs het raam met een snavel vol takjes. Straks vliegt hij tegen de ruit, denkt Silke. Een raam is gewoon harde lucht voor een vogel. Maar de mees schiet onder de dakpannen. Vorig jaar heeft hij daar ook een nest gebouwd.

De deur van het lokaal gaat open en dicht. Silke kijkt om. Voor de klas staat juf Marian en naast haar staat Engel.

'Goedemorgen,' zegt juf.

'Goedemorgen,' mompelt de klas. Ze fluisteren naar elkaar. 'Een nieuwe.'

Engel grijnst naar Silke.

'Je kent al iemand,' zegt juf Marian.

'Ja,' zegt Engel. 'Ik ken Silke.'

'Mooi,' zegt juf tegen Engel. 'Jongens,' zegt ze tegen de klas, 'dit is Engel. Ze is hier pas in de buurt komen wonen en komt bij ons in de klas.'
Silke speelt met een gummetje.
'Willen jullie haar een beetje helpen?'
De klas begint met elkaar en door elkaar heen te praten.
'Dat beschouw ik als een ja,' zegt juf Marian. 'Ga maar naast Silke zitten,' zegt ze tegen Engel. 'Pak allemaal jullie schriften. We gaan beginnen met Wereldkennis.'
Engel loopt door het lokaal heen naar de tafel van Silke bij het raam. Ze gaat zitten. 'Hoi.'
'Hoi,' mompelt Silke.
'Zit je alleen?'
Ze kijkt Engel aan. 'Hoezo?'
Engel haalt haar schouders op. 'Je hebt zoveel ruimte om je heen.'
'Ik ben dol op ruimte. Hoe meer, hoe beter,' zegt Silke. Ze pakt haar schrift erbij en slaat haar boek open.
Engel gaat zitten. Ze haalt al haar boeken en schriften uit haar tas en legt ze op tafel. Silke buigt zich over haar boek. Opgave drie is nog niet af. Engel leegt haar etui op tafel. De potloden rollen over het blad. Ook op Silkes helft.
De hele dag kijkt Silke Engel niet aan. Ze kijkt niet als Engel bellen blaast van haar melk. Ze kijkt niet als Engel schrikt van Moniek, die soms hinnikend lacht. Als de

pauzebel gaat blijft ze zitten. Ze buigt zich dieper over haar boek.
Stil werkt ze aan haar opdrachten en doet alsof ze alleen aan tafel zit.

De bel gaat. Iedereen staat op. Silke pakt haar tas in en loopt naar de deur van het klaslokaal. Engel schuift haastig haar spullen in haar tas en rent achter haar aan. Silke loopt het lokaal uit. Ze hoort hoe Engel tegengehouden wordt door juf Marian. 'Hoe vind je je nieuwe klas?' vraagt ze.
'Leuk,' hoort ze Engel zeggen.
Silke loopt door. De andere kinderen stormen langs haar heen naar buiten. Ze loopt de school uit en steekt het schoolplein over.
'Wacht.'
Ineens loopt Engel naast haar. Ze hijgt een beetje. 'Ik loop met je mee.'
'Waarom?' vraagt Silke.
'Waarom niet?'
'Ik ga niet naar huis.'
'Waar ga je dan naartoe?'
'Naar het park.'
'Alweer?'
'Ik ga naar het park om alleen te zijn,' zegt Silke.

'Doe maar net alsof ik er niet ben,' zegt Engel.
Silke bloost. Ze kijkt met een schuine blik naar Engel. Zou ze boos zijn omdat ze de hele dag geen woord tegen haar gezegd heeft? Maar Engel kijkt niet boos of verdrietig. Ze kijkt lief.
Toch vind ik haar stom, denkt Silke. Want ze ís stom.
Zwijgend steken ze de weg over. Ze lopen door de drukke straat het park in. Silke loopt naar de kleine wei en Engel loopt achter haar aan. Ze gaan op de bank zitten. Silke pakt haar mobieltje uit haar tas. Er valt een gummetje op de grond. Engel pakt het op. Het is een roze hart met een groen randje. Er staat Love op.
Silke ziet vanuit haar ooghoeken hoe Engel het tussen haar vingers draait en bekijkt. Ze spaart gummetjes. Ze heeft een hele pot vol op haar kamer staan. De gummetjes hebben allerlei kleuren. Het zijn dieren. Of het zijn gewoon vormen. Sophine spaart ze ook, maar ze heeft er niet zoveel. Ze raakt ze altijd kwijt. Moeder vond een keer een gummetje van Sophine achter de oven.
'Is die van jou?' vroeg moeder.
Sophine knikte blij.
'Hoe komt die daar?'
Dat wist ze niet.
'Ik krijg nog eens een keer een hartverzakking van jou,' zei moeder.

Maar Sophine wist het echt niet. Waarschijnlijk had ze ermee lopen gooien, denkt Silke. Soof vindt gummetjes lekker stuiteren. Zij is er veel zuiniger op. Daarom krijgt ze er altijd eentje als vader boodschappen gedaan heeft.
Engel steekt haar hand uit en legt het hartje op Silkes knie. Dit gummetje heeft ze vanochtend gekregen. Het lag naast haar bord.
'Ik heb er heel veel,' zegt ze trots.
'Heb je die gekocht?'
Ze schudt haar hoofd. 'Van mijn vader gekregen.' Ze lacht naar Engel, maar die lacht niet terug.
'Spaar jij iets?' vraagt Silke snel.
Engel denkt na. Stom, denkt Silke. Ik had haar niets moeten vragen. Nou gaat ze de hele tijd zitten kletsen. Ze stopt het gummetje in haar tas.
'Ik spaar mensen.'
Engel is gek, dat is nu wel duidelijk.
'Blije mensen. Geen ongelukkige mensen,' gaat Engel verder.
'Wat een onzin,' zegt Silke.
'Nee hoor. Als ik iemand tegenkom die ongelukkig is dan probeer ik die blij te maken. Als dat gelukt is, heb ik er weer iemand bij.'
Silke fronst haar wenkbrauwen.

'Denk je soms dat ik die mensen in een pot bewaar,' giechelt Engel. 'Zoals jij je gummetjes.'
Silke denkt niks, maar ze probeert het zich voor te stellen. Allemaal mensen, als augurken in een pot. Met hun neuzen plat tegen het glas gedrukt. Als zoetzure augurken.
'Het is naar als mensen ongelukkig zijn. Daar kan ik niet tegen.' Engel zucht. 'Ik probeer iemand te helpen en als dat lukt krijgt hij dit.' Ze haalt iets uit haar broekzak. Silke wil niet te nieuwsgierig lijken, maar ze is het wel. In Engels hand ligt een zilveren figuurtje. Het is een kleine engel met vleugels van glas.
'Mooi,' zegt Silke.
'Iedereen die er zo een heeft, hoort bij mijn verzameling.'
'Hm,' zegt Silke. 'En wie ga je nu gelukkig maken?' vraagt ze dan.
'Weet ik nog niet,' zegt Engel.
Silke staat op.
'Ga je nu al?'
'Ja,' zegt Silke. 'Ik moet naar huis.' Ze kijkt naar Engel, maar Engel kijkt naar de wei. Ze wijst. 'Moet je geen gras plukken?'
Verdorie, denkt Silke. Ze is Ko helemaal vergeten.
'Hij krijgt wortel vandaag,' zegt ze en loopt weg. Achter haar hoort ze Engel opstaan en achter haar aan rennen.

'Wacht!'
Silke loopt stevig door.
'Weet je iemand voor mijn verzameling?'
Silke wordt boos. Wat stelt dat kind stomme vragen.
'Nou?'
'Hou je mond. Laat me met rust.'
Engel knijpt haar lippen op elkaar.
Dat was niet aardig van me, denkt Silke. Maar waarom gaat ze niet achter een ander aan lopen? Waarom moet ze mij lastigvallen?
Zwijgend lopen Silke en Engel het park uit. Tegelijk kijken ze naar links en naar rechts en steken over. Al snel komen ze in de Weitstraat. Moeder komt naar buiten met een bak violen in haar handen. Ze zet ze in de vensterbank voor het huis. Ze zwaait naar de buurvrouw. Silke loopt het pad op. Ze laat een spoor achter in het pasgeharkte grind.
'Ik had net geharkt,' zegt moeder. Dan ziet ze Engel. 'Hallo.'
'Hallo,' zegt Engel.
'Stel je haar niet aan me voor?' vraagt moeder aan Silke.
'O, iemand uit mijn klas,' zegt ze.
Moeder wenkt Engel. 'Heb je zin in een kopje thee?'
O nee, denkt Silke. 'Ik moet nog huiswerk maken,' zegt ze snel.

'Ik blijf niet lang,' zegt Engel. Ze loopt het grindpad op en gaat langs Silke en moeder het huis binnen.
'Ik heb helemaal niks lekkers in huis,' zegt moeder. 'Silke, had me even gewaarschuwd dat je een vriendin mee ging nemen. Sophine belt altijd.'
'Ze is geen vriendin,' mompelt Silke. Een vriendin is iemand die naast je loopt. Niet iemand die achter je aan holt en vraagt of je iemand voor haar verzameling weet.
'Het geeft niet, mam,' zegt Silke. Ze lopen het huis binnen. Moeder zet de waterkoker aan. Engel en Silke gaan aan tafel zitten. Er klinkt gestommel op de trap. De deur naar de hal wordt opengegooid en een klein blond meisje struikelt naar binnen. 'Hoi.'
'Dit is mijn zusje,' zegt Silke tegen Engel.
'Ik heet Sophine,' zegt het meisje.
'Ik heet Engel en ik zit bij jouw zus in de klas.'
'O,' zegt Sophine. Ze gaat op een stoel zitten. 'Ik wil cake.'
'Sophine, niet zeuren alsjeblieft,' zegt moeder. Ze zet een pot thee op tafel.
'Wil je even helpen?' vraagt ze aan Silke. Silke staat op en pakt de kopjes. Moeder zet de suikerpot op tafel, en een trommel met biscuitjes.
'Ik wil keeheek,' zegt Sophine.
'Je weet wat papa gezegd heeft,' zegt moeder.
'Jij bent papa niet.'

'Als je veel snoept word je te dik.'
Sophine slaat haar armen over elkaar.
'Kijk naar je zus. Die is mooi slank. Kijk naar mij.' Moeder slaat op haar bolle buik. 'Zo wil je toch niet worden.'
Ze knipoogt naar Engel.
'Toch wil ik cake,' zegt Sophine.
'Je kunt niet altijd alles krijgen wat je wilt.'
'Silke krijgt alles wat ze wil.'
Silke grijnst naar haar zusje.
'Ik heb gisteren een chocoladereep van papa gehad,' zegt Sophine. Ze grijnst terug. Silke doet een lepeltje in elk glas. Ze weet dat vader Sophine altijd lekkere dingen geeft. Als hij kookt, op zondag, roept hij haar in de keuken. Dan laat hij haar proeven en dan geeft zij een cijfer. Ze geeft altijd een acht plus.
Silke houdt Engel de trommel voor. Engel pakt een biscuitje.
Silke kijkt naar haar zusje. Sophine pakt ook een biscuitje. 'Ik doe er lekker boter en suiker op.'
Moeder schudt haar hoofd. 'Nee, Sophine.'
'Ik doe het toch.' Sophine pakt boter en suiker. Silke ziet moeders mond open- en dichtklappen. Ze wil wat zeggen, maar ze doet het niet. Ze glimlacht naar Engel. 'Dus jullie zitten bij elkaar in de klas?' Ondertussen schenkt ze thee in.

Engel knikt. 'We zitten ook naast elkaar.'
Moeder glimlacht. 'Mijn dochter is slim. Misschien steek je wat van haar op.'
Silke kijkt Engel niet aan. Ze bloost. Zo meteen begint ze weer over haar rapport.
'Ze heeft ook zo'n goed rapport! Niks lager dan een acht.'
Silke drinkt snel haar thee op. 'Huiswerk!' Ze zet haar theekopje op het aanrecht. Op het aanrecht staat een kom water met een bos wortelen erin. Ze trekt er één af. Engel staat ook op. 'Ik moet naar huis. Bedankt voor de thee.'
'Nu al?' vraagt Sophine.
'Kom gerust nog eens langs,' zegt moeder. Engel knikt.
'Laat je je vriendinnetje niet even uit?' vraagt moeder.
Maar Silke is de keuken al uitgelopen. Ze gaat de trap op naar haar kamer. Ko staat met zijn voorpootjes tegen het gaas.
'Dag Ko.'
Ze maakt het hok open en tilt hem op schoot. Zijn vacht is warm en zacht. Hij snuffelt aan haar arm. Ze aait over zijn kop en oren.
'Wat nu? Zeg eens wat ik moet doen?'
Ko snuffelt aan Silkes haar. Hij knabbelt eraan.
'Je hebt honger.'
Ze pakt de wortel uit haar zak en houdt hem Ko voor. Hij bijt in de wortel en trekt hem uit haar hand.

Het is avond en Silke ligt in bed. Ze kijkt naar het plafond. Buiten waait het. Een klein zuchtje wind komt af en toe naar binnen om met de gordijnen te spelen.
Ze hoort Sophine praten in haar slaap. Dan hoort ze gekraak op de trap. Moeder gaat naar bed. Het licht op de overloop gaat aan. Ze hoort haar tandenpoetsen. Het licht gaat uit. Het bed kraakt. Moeder slaapt. Dat weet Silke omdat ze slaappillen gebruikt. Die werken meteen.
Even later weer voetstappen op de trap. Vader is nu pas klaar met werken. Hij loopt naar boven. De trap kraakt minder als hij naar boven loopt. Hij stapt over de krakende treden heen. Vader doet het licht niet aan maar loopt meteen naar de grote slaapkamer. Silke sluit haar ogen en valt in slaap.

Silke zit aan tafel. Engel loopt de klas binnen en komt naast haar zitten.
'Hoi,' zegt ze.
'Hoi.'
'Ik ben nog langs je huis gelopen. Je was er niet.'
Silke speelt met een gummetje. 'Hm,' zegt ze. Moet ze nu ook al met Engel naar school lopen?
Juf Marian komt binnen. Ze zet haar tas op tafel en hangt haar jas aan het schoolbord. 'Goedemorgen.'
'Goedemorgen,' roept de klas terug.
'Sorry dat ik wat laat ben.'
'Sorry dat ik wat laat ben,' roept de klas terug.
Juf Marian giechelt. 'We gaan rekenen vandaag.' De klas zucht.
'Ik hou niet van rekenen,' zegt Engel. 'Jij?'
Silke haalt haar schouders op. Het maakt haar niet uit.
'Pak jullie rekenboekjes maar,' zegt juf Marian.
'Ik vind het vreselijk,' gaat Engel verder. 'Al die cijfers.'
'Stilte!'

Ze buigen zich over de rekenboekjes. Engel begint zacht te neuriën.
Silke kucht. Engel kijkt op. 'Ben je verkouden?'
'Nee, ik kan niet werken als jij zingt.'
'Ik neurie.'
'Juf zei dat je stil moet zijn.'
'Als ik neurie gaat het beter.'
'Doe toch maar niet.'
'O.'
Ze buigen zich over hun rekenboekjes. Silke kijkt naar de getallen van de sommen. Ze dansen voor haar ogen. Het zijn er ook zoveel. Ze wordt er duizelig van. Silke doet haar ogen dicht.
Als juf Marian zegt dat de tijd om is, is ze niet erg opgeschoten met haar sommen.

Silke staat tegen een boom geleund. Engel komt naast haar staan.
'Die zitten toch bij ons in de klas?' Engel wijst naar twee meisjes aan de andere kant van het schoolplein.
'Dat zijn Trista en Moniek,' zegt Silke.
'Wat zijn ze aan het doen?'
Trista en Moniek staan tegenover elkaar. Ze zeggen niets maar kijken elkaar wel aan.
'Ik weet niet,' zegt Silke. Het interesseert haar ook niet.

‘Kom,’ zegt Engel. Ze trekt Silke aan haar arm.
‘Ik wil niet,’ zegt Silke. Ze trekt haar arm los.
‘Waarom niet?’
‘Ik sta na te denken.’
‘Dat kun je onder de les wel doen. Kom.’ Engel duwt haar van de boom af.
‘Niet doen,’ zegt Silke boos.
‘Even maar.’ Engel loopt weg. Mopperend sjokt Silke achter haar aan. Ze gaan naar Trista en Moniek toe.
‘Wat doen jullie?’ vraagt Engel.
‘Een spelletje,’ zegt Moniek. ‘We staan tegenover elkaar. Je moet de ander aankijken en je mag niks zeggen. Wie het eerste lacht is af.’
‘Leuk,’ zegt Engel.
‘Hmpf,’ zegt Silke. ‘Dat is toch makkelijk.’
Trista lacht. ‘Zullen wij dan?’
Silke haalt haar schouders op. ‘Mij best.’ Ze gaat tegenover Trista staan. Silke kijkt in haar bruine ogen. Maar ze kijkt niet echt. Het lijkt alsof ze naar de muur achter Trista kijkt. Dwars door haar heen.
‘Je kunt het heel goed,’ zegt Trista.
Silke knikt. Het kost haar geen moeite.
‘Nu wij,’ zegt Engel. Ze gaat tegenover Silke staan. Silke kijkt in Engels ogen. Ze zijn zo blauw als de lucht. Het blauw is zo diep dat Silke erin wordt meegezogen. Haar

armen en benen drijven van haar weg. Ze trekt wit weg. Ze voelt zich licht als een wolk.
Ik ben een wolk, denkt Silke. Ik drijf op de wind. Zo hoog dat niemand me kan bereiken. Ik zie de hele aarde aan mijn voeten liggen. O nee, ik heb geen voeten.
Engel knippert. Voor het blauw komen zwarte wimpers. Het blauw wordt een paar ogen. De ogen van Engel. Ze krijgt haar benen en armen terug. Ze gaat van hoog naar laag. Van licht naar lichaam. Ze voelt de stevige ondergrond van de tegels onder haar voeten. Engel trekt een denkrimpel tussen haar wenkbrauwen. Het maakt haar gezicht anders. Silke begint te lachen.
'Af,' roept Engel.
Silke lacht. 'Dat telt niet. Jij trok een raar gezicht.'
'Dat mag,' zegt Trista.
'O,' zegt Silke.
'Nu wij.' Trista gaat tegenover Engel staan.
Engel steekt haar tong uit en kijkt scheel. Trista lacht. Silke lacht.
'Opnieuw,' zegt Moniek. 'Je moet wel blijven kijken. Scheel kijken mag niet.'
Engel kijkt Trista strak aan. Trista kijkt onverstoorbaar terug. Engel trekt een raar gezicht, maar Trista lacht niet. Dan steekt Trista haar tong uit en raakt bijna het puntje van haar neus. Zoiets heeft Silke nog nooit ge-

zien. Ook Engel kijkt verbaasd. Trista begint te lachen.
‘Doe nog eens,’ zegt Silke.
Trista steekt haar tong uit en raakt het puntje van haar neus.
‘Alleen koeien kunnen dat,’ zegt Silke.
‘Dank je,’ zegt Trista.
‘Ik wil ook een keer tegen jou,’ zegt Moniek tegen Silke.
Ze gaat tegenover Silke staan, maar de bel gaat. De pauze is over.
‘Jammer,’ zegt Trista.
Ik moet dit een keer met Soof doen, denkt Silke.

Silke en Engel zitten in het park. Het regent een beetje. Het haar van Engel begint nog meer te krullen, maar het haar van Silke gaat slapper hangen. Ze zet haar capuchon op. ‘Je hoeft niet op mij te wachten,’ zegt ze. ‘Je weet de weg nu wel.’
Moet je niet naar huis?’
‘Nee.’
‘Waarom niet?’ vraagt Engel.
‘Ik zit hier prima.’
‘Het regent.’
‘Ik vind het hier fijn,’ zegt Silke. Ze trekt haar capuchon verder over haar hoofd en trekt hem strak aan. De regen loopt over haar hoofd, langs haar jas en haar benen, zo in

haar schoenen. Dat wordt weer gezeur thuis, denkt Silke.
De hele gang staat blank! roept de stem van moeder in haar hoofd.
Ook al zijn het maar een paar druppels.
'Ik kende een meisje, in een andere stad,' begint Engel.
'Wat?' zegt Silke.
Engel schuift wat dichterbij. 'Ik kende een meisje. Dat was in de vorige stad waar ik woonde. Soms kwam ze bij mij spelen, maar ik kwam nooit bij haar. Eén keer vroeg ik haar of ik haar kamer mocht zien. Morgen, zei ze. Het bleef altijd morgen. Er kwam altijd iets tussen.
Ik was zo nieuwsgierig dat ik op een dag achter haar aan gelopen ben. Ik belde aan. Mijn vriendin deed open. Ze liet me haar kamer zien, met een schommel. We hebben spelletjes gespeeld. Het was hartstikke gezellig. Ik snapte niet waarom ze me nooit gevraagd had om te komen.
Na het eten ging ik weg. Toen ik op het tuinpad liep, herinnerde ik me dat mijn tas nog in haar kamer stond. Ik liep terug over het pad, door de tuin naar de achterkamer. Ik zag dat haar vader haar moeder sloeg. Mijn vriendin zat aan tafel met haar ogen dicht.'
Engel houdt op met praten.
'Waarom vertel je dit?' vraagt Silke.
Engel haalt haar schouders op. 'Ik moest aan haar denken,' zegt ze.

'Ze is kort daarna verhuisd. Ik heb haar nooit meer gezien.'
'Nou en?' Silke schopt met haar voet in het zand.
'Ik had haar willen helpen.' Engel slikt.
Straks gaat ze nog janken, denkt Silke. Maar dat is lastig te zien met al die regen. 'Je had haar natuurlijk in je verzameling willen hebben.'
'Ja,' zegt Engel. 'Daar had ze goed in gepast.' Ze lacht. Als Engel lacht is het net of een heleboel bubbeltjes in water naar boven komen. Silke moet ook lachen. 'Die man gisteren, die kon je verzamelen.'
'Wie?'
'Die man die zijn hond kwijt was. Die heb je geholpen.'
Engel knikt. 'Maar hij was niet echt ongelukkig.'
'Hoe weet je dan wanneer iemand echt ongelukkig is?' Silke legt een knoop in het touwtje en trekt het stevig aan. Dat komt niet meer los.
'Je ziet ze minder lachen,' zegt Engel. 'Ze zitten vaak alleen. Of ze maken zich zorgen om een ander. Je hebt een leuk zusje trouwens.'
'Ja.'
'Hoe oud is ze?'
'Zaterdag wordt ze acht,' zegt Silke.
'Heb je al iets voor haar?'
'Een beer. Ze spaart beren.' Silke peutert aan het touwtje. Ze wordt acht, denkt ze. Ze maakt nog een knoop.

Silke zit aan tafel. Sophine hangt ondersteboven op haar stoel. Vader komt binnen.
'Waar is mama?'
'Ze is collecteren met de dames van de Rotary,' zegt Silke op bekakte toon. Sophine schiet in de lach.
'Ja ja,' zegt vader. Hij krabt zich op zijn hoofd. 'Iemand moet me even helpen.'
'Ikke, ikke,' roept Sophine.
Vader schudt zijn hoofd. 'Ik denk dat ik mijn grote meid ga vragen.' Hij buigt zich voorover naar Silke. 'Wat denkt u, zuster? Kunt u tegen bloed?'
Silke bloost. Ze wil zelf ook dokter worden, maar ze mag bijna nooit binnen in de praktijk. Vader loopt de keuken uit.
'Pff,' zegt Sophine.
Silke steekt haar tong naar haar uit.

Op de vloer, in het licht van de maan, zit Silke met Ko op schoot. Ze hoort voetstappen op de gang. Haar vader. Was ze maar een konijn. Konijn. Konijn. Het woord konijn botst tegen de binnenkant van haar hoofd. Konijn! Konijn! Konijn! Aan de ene kant en aan de andere kant. Het botst zo hard dat er twee bobbels groeien aan de zijkanten van haar hoofd. De bobbels worden groter en langer. Haar huid begint te trekken. Ze scheurt uit

haar huid. Daaronder zit een zacht bruin vel met kleine, zachte haartjes. Haar kleren vallen op de grond. Haar vingers krimpen. Haar handen worden pootjes. Silke buigt zich voorover. Samen met Ko zit ze op vier pootjes op de vloer van haar kamer.
Ze is een konijn.
Ik ben een konijn, denkt Silke. Ik kan wegspringen en in een hol duiken, zodat niemand me kan zien.
Haar kamerdeur gaat open.
'Silke?'
Ik ben Silke niet, denkt Silke. Ik ben een konijn dat kan wegrennen en in een hol kan duiken. Ik ben een konijn dat wortel wil eten. Er gaat niets boven de smaak van wortel. Een boterham met hagelslag is vies.
'Silke?'
Silkes konijnenvel verandert in huid. Haar kleren vallen weer aan haar lichaam. De lange oren schieten terug in haar hoofd. Pootjes worden armen en handen. Plop, ze zit op de vloer. Ko ligt warm in haar armen. Vader staat in de deuropening. Hij steekt zijn hand uit. Er ligt een klein bruin pakje in.
'Kom maar halen.'
Ze zet Ko in zijn hok en loopt naar vader toe. Voorzichtig pakt ze het pakje. Hij houdt het stevig vast. Ze trekt.
'Je wil het graag, hè?' Hij lacht en laat los.

Wat zit erin? Het pakje is te groot voor een gummetje. Het is hard.
Haastig scheurt ze het bruine papier eraf. Er zit een wit bakje in waarop in grote letters KO staat. Het is een voerbakje.
'Praat je veel met je vriendin?'
Moeder heeft natuurlijk verteld dat Engel is geweest.
'Ze is mijn vriendin niet,' mompelt Silke.
'Je bent lief,' zegt hij en streelt haar wang. 'Wat zeggen we dan?'
'Bedankt,' zegt ze. Ze is er echt blij mee. Gisteren had ze het oude bakje laten vallen. Het spatte op de grond in tien stukken uiteen. Zou hij dat gehoord hebben?
'Je hoeft me niet te bedanken,' zegt vader. Hij legt zijn hand op haar schouder. 'Jij hebt me vandaag zo goed geholpen.'
Uit de kamer van Sophine klinkt gepraat.
'Ze droomt naar,' zegt ze.
'Ze is nog niet zo'n grote meid als jij,' zegt vader. 'Ik zal haar even instoppen.'
'Ik doe het wel,' zegt Silke terwijl ze snel naar de deur loopt. 'Ik ga wel even kijken.'
Vader buigt zich naar voren. 'Wil deze prinses de andere prinses een zoen doorgeven?' Hij zoent Silke op haar wang. Ze giechelt.
'En dan?'

'Moet je nog buigen,' zegt Silke.
'Alleen als jij het ook doet.'
Ze buigen allebei. Vaders hoofd raakt haar wang.
'Goedenacht prinses.' Hij loopt weg.
Silke gaat Sophines kamer binnen en doet de deur goed achter zich dicht.
'Wat waren jij en papa aan het praten?' vraagt Sophine slaperig.
'Niks,' zegt Silke. Ze stopt het losgewoelde dekbed weer vast.

De vierde dag

Silke en Engel zitten aan tafel in de klas. Voor hen ligt een wit blad papier. Tussen hen in staat een pot met kleurpotloden. Ze houden allebei een potlood in hun hand.
'Wat ga jij tekenen?'
Engel kauwt op haar potlood. 'Een flitserwoef.'
'Een wat?' vraagt Silke.
Engel vertrekt geen spier. 'Een flitserwoef is een lang, draakachtig type dat in de lucht woont. Hij is wit en heeft lange vleugels. De flitserwoef vliegt heel rustig heen en weer. Zo langzaam als een wolk. Jij denkt dat je een streepachtige wolk ziet, maar ondertussen is dat een flitserwoef. En wat ga jij tekenen?'
'Ik...' begint Silke. Ze denkt na. Wat Engel kan, kan zij ook. 'Ik ga een kwamp tekenen.'
'Een kwamp,' zegt Engel nadenkend. 'Die zitten toch in het moeras?'
Silke schudt haar hoofd. 'Die zitten aan de rand van het moeras. Tussen de bosjes.'

‘O ja,’ zegt Engel. ‘Met hun voeten in de blubber en hun hoofd tussen de blaadjes.’
‘Precies.’
‘Succes met je kwamp.’
‘Succes met je fitserwoef.’
‘Flitserwoef.’
Ze buigen hun hoofd over hun papier en beginnen te tekenen. Silke tekent de pootjes van de kwamp. Het lijken de pootjes van een eend. De kop lijkt een beetje op die van een hert en het lijf is het lijf van een beer, maar dan klein. Ze tekent een schubachtige huid en poten die in het moeras hangen. Het wordt een dappere kleine kwamp.
‘Silke?’ Engel zit met haar hoofd tussen haar handen en kijkt haar aan.
‘Wat is er?’ vraagt Silke.
‘Ik ben klaar. Jij ook?’
‘Bijna.’ Ze pakt een rood potlood. De kwamp heeft giftige stekels op zijn rug. Iedereen die aan hem zit, raakt verlamd.

Ze zitten op de bank in het park. Engel wiebelt met haar benen heen en weer. Silke wordt kriebelig van het heen en weer gebungel. Ze trommelt met haar vingers op het hout. Het liefst zou ze Engels benen vastbinden aan de bank. Met van dat dikke scheepstouw.

'Wat doe je?' vraagt Engel.
'Niks,' zegt Silke. Dat ziet ze toch. Sufmuts.
Engel houdt haar benen stil. Silke gaapt. Het is warm vandaag. Als ze nu naar huis ging, kon ze met Sophine spelen.
Soof speelt in de achtertuin. Ze heeft met krijt een hinkelpad gemaakt. Met blauw en geel en groen.
'Waar denk je aan?'
Laat ik haar maar iets vertellen. Ze houdt anders toch niet op. 'Aan Sophine.'
'Wat doet ze?'
'Ze oefent met hinkelen, zodat als ik thuiskom, zij de beste is. En dan hinkelen we om een gummetje.'
'Het lijkt me leuk om een zusje te hebben.'
'Heb jij geen zusje?'
'Nee,' zegt Engel. 'Ik zou best een zusje willen. Of een broertje.'
'Jij hebt een verzameling mensen.'
Engel lacht. Silke lacht ook. 'Heb je al een nieuw iemand voor je verzameling?'
Engel kijkt Silke aan. 'Ja.'
'Wie?'
'Jou.'
Silke lacht hard. 'Ik ben niet ongelukkig.'
'Nee?'

'Jij hebt te veel fantasie,' zegt Silke. Die Engel moest eens ophouden haar wipneus in andermans zaken te steken.
Engel steekt haar hand uit. Ze heeft een nieuw zakje vleugelsnoepjes bij zich. Silke weigert.
'Volgens mij heb jij problemen thuis,' zegt Engel terwijl ze het zakje openscheurt.
'Dan weet je meer dan ik.'
'Wil je er echt geen?'
'Hou op!' Silke duwt het zakje snoep ruw weg. Het valt uit Engels hand op de grond. De vleugelsnoepjes belanden in het zand.
'Geeft niet,' zegt Engel.
Silke kijkt naar het snoep dat op de grond ligt. Ze weet niet wat ze moet doen. Dit gebeurt altijd met nieuwe vrienden. Even is het leuk, tot ze de verkeerde vragen gaan stellen. Ze kan beter naar huis gaan. Met een ruk staat ze op en loopt weg. Aan het einde van het grasveld draait ze zich om. Engel is haar niet gevolgd. Ze zit op de grond en raapt de snoepjes op. Silke loopt het park uit. Einde vriendschap, denkt ze. Mooi zo. Ze schopt tegen een steentje dat op de weg ligt.

Als Silke thuiskomt, zitten moeder en Sophine aan de keukentafel. Ze knippen vlaggetjes en rijgen ze aan een gekleurd koord.

'Hoe was het op school?'
'Goed.'
'Help je mee?' vraagt moeder.
'Ik moet Ko's hok verschonen.'
'Ik heb een beetje hoofdpijn.'
Silke legt haar tas neer. Ze schuift aan.
'Fijn,' zegt moeder. 'Kijk me hier nu eens zien zitten. Met mijn twee grote dochters.'
'Ik ben bijna acht!' roept Sophine.
Moeder aait Sophine over haar wang. 'Haal eens een aspirientje voor me.'
'Krijg ik dan chocola?'
'Nee, we gaan zo eten.'
'Van papa krijg ik altijd chocola als ik iets voor hem doe.'
Even lijkt het alsof moeder wat gaat zeggen, maar dan doet ze haar mond weer dicht. Ze zucht, ze staat op en pakt zelf een aspirientje. Ze gooit het in een glas water en gaat weer zitten. 'Hoe was het op school vandaag?'

Silke hoort kleine blote voetjes op het zeil van de overloop. Ze stapt uit bed. In de gang staat Sophine in haar nachtpon.
'Ben je ziek?'
'Natuurlijk niet,' zegt Sophine. 'Ik kan gewoon niet slapen.'
'Kom,' zegt Silke. 'Anders wordt mama wakker.'

‘Ik ben bijna jarig.’
‘Ja,’ zegt Silke. Ze duwt haar zusje in de richting van haar kamer. Voetstappen op de trap. Sophine gaat haar kamer binnen en Silke doet snel de deur dicht. De kamer van Sophine moet bewaakt worden. Een hond is te klein. Een wolf is beter. Een grote, zwarte wolf.
Silke voelt hoe haar armen en benen poten worden. Haar tanden groeien. Haar huid wordt een ruwharige vacht. Haar oren steken spits uit haar hoofd. Ze voelt dat ze een lange staart heeft. Hij hangt tussen haar benen, maar ze kan er ook mee kwispelen.
Ik ben een wolf, denkt Silke. Met tanden zo scherp als messen. Ik ga voor haar kamerdeur staan. Als vader aan komt lopen, dan sta ik daar. Een rollende rrr komt vanuit mijn buik, door mijn keel naar buiten. Ik grom. Mijn nekharen gaan overeind staan. Mijn nagels krassen op de vloer. Ik ben een wolf en ik zorg dat er niemand haar kamer binnenkomt. Alleen zij mag erin en eruit. Als vader komt dan hap naar zijn benen.
‘Mooi, je bent nog wakker.’ Vader staat voor Silke.
Het lukt niet om te grommen. Mijn stem zit in mijn keel en komt niet vanuit mijn buik. Tanden worden kleiner. Ze nemen minder plaats in. De vacht verdwijnt. Grote oren worden mensenoren. Bek wordt mond. Mond wordt Silke. Silke veegt met haar handen in haar ogen. Het helpt

niet om een wolf te willen zijn, want ik ben een mens.
Vader duwt Silke zacht haar kamer binnen. Silke kruipt onder de dekens, maar ze zijn niet diep genoeg. Het is daar niet diep genoeg van vader weg. Ze zou een bus moeten nemen om bij hem vandaan te komen. Of een vliegtuig naar de andere kant van de wereld.
Hij gaat op de rand van het bed zitten. 'Mijn grote meid,' zegt hij terwijl hij haar haar streelt. Ze doet haar ogen dicht. Ze voelt hoe hij naast haar kruipt. Het bed is te klein voor hem. Hij drukt zwaar tegen haar aan. Ze hoort iets ritselen en er valt iets op haar borst. Ze moet haar ogen wel opendoen.
Op haar borst ligt een glimmende strip met pilletjes. 'Wat is dit?'
'De pil,' zegt vader. 'Het wordt tijd dat je hem gaat gebruiken.'
'Maar...'
'Je zult minder last van buikpijn hebben. En je krijgt geen puistjes. Je bent zo mooi nu.'
Hij streelt haar wang, haar oor en dan haar nek.
'Je kunt vanavond al beginnen met slikken.'
'O.'
'Toe maar.'
Silke drukt een pil door de strip heen. Ze slikt hem door, wat best lastig is zonder water.

‘Goed zo,’ zegt hij. ‘Ik moet nog wat werken. Jammer.’
Vader staat op. Silke doet haar ogen dicht. Ze voelt hoe hij kijkt.
‘Dag tijger.’ Hij buigt zich over haar heen en kust haar. Dan loopt hij naar de deur. Hij gaat de trap af naar de praktijk.
Ko krabt het stro van de ene kant van het hok naar de andere kant en andersom.
‘Welterusten, Ko.’
Vanuit haar tenen komt een zucht naar buiten. Het duurt lang voordat ze in slaap valt.

De vijfde dag

Silke kijkt uit het raam. Het is warm buiten. Als het zaterdag ook zulk lekker weer is, heeft Soof een mooie verjaardag.
'Hoi.'
Met regen in de tuin zitten is niks. Stel dat er zoveel regen valt dat de taart wegdrijft. Hij drijft naar de buren. Die zullen opkijken. Alle kinderen er kletsnat met vorkjes in hun handen achteraan. Ze giechelt.
'Wat is er?'
Silke kijkt omhoog. Daar staat Engel.
'Hoi.'
'Hoe gaat-ie?' Engel gaat zitten.
'Gewoon,' mompelt Silke. Is Engel niet boos op haar?
'Heeft iedereen zijn spullen?' vraagt juf Marian.
'Ja!' roept de hele klas.
Iedereen loopt het lokaal uit, de gang door naar de gymzaal. Zwijgend kleden ze zich om in de kleedkamer. Silke draait haar rug naar de anderen toe. Ze mogen haar niet bloot zien. Snel trekt ze haar sportkleren aan.

De gymzaal is koud. Ze zijn de eersten die erin gaan sporten.
'Ik haat gym,' zegt Silke als ze op de bank zit met kippenvel op haar blote benen.
'Ik vind gym wel leuk,' zegt Engel.
'We gaan trefbal doen,' zegt juf Marian.
De klas joelt.
'Jakkes,' mompelt Silke.
'We gaan twee teams maken,' zegt juf Marian. Ze wijst Trista en Rijn aan om teams te kiezen. Trista en Rijn gaan in het midden van de gymzaal staan.
'Ik kies Moniek,' zegt Trista.
'Albert.'
'Silke,' zegt Trista.
Silke bestudeert haar knieën. Op de ene zitten twee moedervlekjes en op de andere een klein litteken. Ze is een keer op de stoep gevallen toen vader haar leerde fietsen.
Engel stoot haar aan.
'Je bent gekozen.'
Verward kijkt Silke op. Trista wenkt haar. Ze heeft een lintje in haar hand.
'Ga dan,' fluistert Engel.
Silke fronst haar wenkbrauwen. Ze wordt nooit gekozen. Zij is de enige die overblijft en dan wordt ingedeeld bij de groep waarin de minste kinderen zitten. Deze keer

niet. Ze staat langzaam op en loopt naar Trista. Trista lacht. Silke lacht terug.
Engel gaat naar het andere team. Dat is jammer, denkt Silke. Ze zat liever in hetzelfde team als Engel. Ze kijkt hoe Engel naar de andere kant van de zaal loopt. Haar voeten lijken de vloer van de gymzaal niet te raken. Het is net alsof ze in de lucht loopt. Gewichtloos. Dan voelt Silke een bal tegen haar zij. Ze wordt uitgegooid.
'Hee, je moet wel opletten,' sist Trista tegen Silke.
Het team van Trista wint twee keer achter elkaar. Silke gaat vaak uit. Op haar been staan rode vlekken van de bal. Maar als alleen Rijn over is van de tegenpartij, is zij degene die hem uitgooit. Haar team juicht en joelt. Silke krijgt een blij gevoel in haar buik.
Hijgend en rood zitten de meisjes in de kleedkamer uit te puffen.
'Ga je niet onder de douche?' vraagt Engel. Ze is bloot op een omgeslagen handdoek na. De druppels glijden langs haar benen op de vloer.
'Handdoek vergeten,' zegt Silke. 'Het was leuk, net.'
'Ik haat gym,' doet Engel Silke na.
Silke grijnst. Engel giechelt.

Ze zitten in het park.
'Je was goed met gym,' zegt Engel.

‘Hm,’ zegt Silke. Ze is het alweer vergeten. Nu denkt ze aan gisternacht.
‘Waar denk je aan?’
‘Niks.’ Silke zou wel iets aan Engel willen vertellen, maar ze weet niet hoe ze moet beginnen. Ze is bang dat Engel schrikt. Of dat ze dan anders naar haar zal kijken. Ze kán niks zeggen. ‘Misschien loop ik wel weg,’ zegt ze opeens.
Engel kijkt haar aan. ‘Waarom wil je weglopen?’
Silke haalt haar schouders op. ‘Gewoon.’
Engel knikt. ‘Overmorgen loop ik ook maar eens weg. Morgen zet ik mijn ouders bij het grof vuil en vandaag ga ik gewoon eens van het dak springen.’
‘Je kan toch gewoon weg willen lopen?’
‘Nee hoor, dat kan niet,’ zegt Engel. ‘Dan is er iets.’
‘Er is wel iets.’
‘Je kunt mij alles vertellen. Ik vertel niks door.’
Silke zwijgt.
‘Zal ik het raden?’ Silke haalt haar schouders op. Engel raadt het toch niet.
‘Hebben je ouders ruzie?’
‘Nee.’
‘Wordt je zusje voorgetrokken?’
‘Nee.’
‘Zijn je ouders erg streng?’
‘Nee.’

'Word je geslagen?'
Silke schudt haar hoofd.
'Is het iets met je vader?'
'Wat zou er met hem moeten zijn?' roept Silke uit.
'Zit hij aan je?'
Boem. Die vraag valt uit de lucht. Ze verstijft. Het is de eerste keer dat iemand zoiets hardop zegt. Het is alsof ze vanbinnen bevriest. Vanuit haar tenen kruipt het ijs door haar benen omhoog. Het bevriest haar buik, haar armen, haar handen en haar vingers. Ze kan haar tas niet meer vasthouden. Hij valt met een plof op de grond.
De vrieskou trekt via haar nek in haar hoofd. Ze kan niet meer bewegen. Ze kan niet knikken en ze kan Engel niet aankijken.
'Wat rot,' zegt Engel zacht.
Ik heb niet gezegd dat het waar is. Het ís niet waar, denkt Silke. Ik moet zeggen dat het niet waar is. Haar mond bevriest. Het is haar eigen schuld. Nu denkt Engel dat zij een slechte vader heeft terwijl hij zo lief voor haar is.
'Soms is een vader tegelijkertijd lief en slecht,' zegt Engel alsof ze haar gedachten kan raden.
Kan hij lief én slecht zijn? Tegelijkertijd? vraagt ze zich af. Nee, dat kan niet. Hij is lief. Het is haar eigen schuld. Zij is slecht. Iedereen vindt haar stom.
'Jij kunt er niks aan doen,' zegt Engel. 'Het is zíjn schuld.'

Silke voelt hoe de vrieskou dieper naar binnen gaat. Haar hart bevriest. Ze gaat dood en dat is maar het beste ook. Ze zal van de bank vallen en in honderdduizend stukjes versplinteren. Allemaal stukjes lichaam. Kleine stukjes Silke.
Engel schuift dichter naar haar toe. 'Het is jouw schuld niet,' zegt ze. 'Wat jouw vader doet is fout. Dat mag hij niet doen.' Haar stem is warm. 'Hij moet ermee ophouden.' De warmte kruipt in haar hoofd, glijdt door haar keel naar haar hart, dat langzaam weer begint te slaan.
'Het is jouw schuld niet,' zegt Engel weer. De warmte kruipt door haar buik, naar haar benen. Ze smelt. De tranen lopen over haar wangen. Alle tranen die ze verzameld heeft in een kuiltje onder haar ogen.
'Dus daarom wil je weglopen.' Engel komt nog dichter bij haar zitten.
'Je mocht het niet weten,' zegt Silke. Ze schuift naar de andere kant van de bank, ver bij Engel vandaan.
'Ik vertel het niet door,' zegt Engel. Ze geeft haar een zakdoek.
'Ik ben bang,' zegt Silke. En niet alleen voor mezelf, denkt ze.
Engel wil een arm om haar heen slaan.
'Niet doen,' zegt Silke. 'Zullen we over iets anders praten?' Ze kijkt Engel smekend aan. Het is even stil.

'Het was wel gemeen van jou om net te doen alsof je een andere kant op gooide.'
'Wat bedoel je?' vraagt Silke. Ze poetst haar gezicht droog met haar trui.
'Toen Rijn alleen in het veld stond.'
Ze lacht door haar tranen heen. 'Goed, hè? Rijn trapte erin.'
'Hij keek zo verbaasd.'
'Zijn mond viel open.'
'Absoluut.'
'Wil je Ko zien?' vraagt ze ineens. Ze heeft meteen spijt. Misschien komen ze vader tegen in de gang. Ze is bang dat Engel dan gaat staren. Of iets gaat zeggen.
'Graag,' zegt Engel.
'Misschien is morgen beter.'
'Vandaag is prima,' zegt Engel.
'Maar...'
'Niks maar. Kom.' Engel staat op. Ze wenkt Silke. 'Kom.'
Ze lopen samen het park uit.

Als Silke met Engel binnenkomt, zitten moeder en Sophine aan tafel thee te drinken.
'Dag Engel,' roept Sophine.
Moeder glimlacht. 'Willen jullie thee?' Ze schenkt thee in. Silke en Engel gaan zitten.

‘De buurvrouw vroeg of jij volgende week wilt helpen met de blindendag, Silke,’ zegt moeder.
Silke wil niet. De hele dag zitten er mensen aan je. Je moet een arm geven. Je moet het niet erg vinden als iemand met zijn handen over je gezicht gaat.
‘Ik moet een werkstuk over de maan schrijven,’ zegt ze.
‘Daar kan ik je mee helpen.’
‘Papa zou al helpen.’
‘Misschien wil je vriendin wel mee?’ Moeder knikt in Engels richting.
Engel glimlacht. ‘Volgende week kan ik niet,’ zegt ze.
‘Kom je wel op mijn feestje?’ vraagt Sophine aan Engel.
‘Dat is toch morgen?’ vraagt Engel. Sophine knikt.
‘Oké.’
‘Ik zal Ko laten zien,’ zegt Silke. Ze staat op.
‘O ja,’ zegt Engel.
Engel loopt achter Silke aan de trap op. Ze gaan de kamer van Silke binnen.
‘Wat een leuke kamer heb jij.’
Silke opent het hok van Ko. Ze pakt hem voorzichtig beet en draagt hem naar Engel.
‘Dit is Ko.’
Hij snuffelt met zijn fluwelen neus aan Engel.
‘Wat een schatje,’ zegt Engel. Ze aait hem zachtjes over zijn kop. ‘Heb je die ook van je vader gekregen?’

Silke schudt haar hoofd. 'Ik heb hem zelf gekocht en uitgezocht.'
Ze lacht. 'Vijf maanden heb ik gespaard. Voor hem en zijn hok.'
'Hij is echt lief.'

Als Engel weg is, gaat Silke op bed liggen om goed na te kunnen denken over wat er vandaag allemaal is gebeurd. Engel weet nu wat er aan de hand is. Was het wel slim om het haar te vertellen? Ze heeft vader beloofd haar mond te houden. Als hij erachter komt...
Ko hupt rond in de kamer. Hij knaagt hier en daar aan het bed en de stoel. Dan heeft hij een snoer gevonden.
'Sss,' roept Silke. Ko knaagt door. Ze gooit een gum naar hem toe. Ko hupt geschrokken verder.

Het is nacht. Iedereen slaapt behalve Silke. Behalve vader. Hij loopt de trap op. Hij steekt de overloop niet over maar loopt regelrecht naar de kamer van Silke.
'Slaap je?'
Hij vraagt dat altijd. Ze antwoordt nooit. Soms heeft ze geluk, maar meestal niet. Hij komt de kamer binnen. Ze hoort hoe hij zachtjes de deur dichtdoet.
Ze doet alsof ze slaapt. Als hij naast haar gaat liggen, doet ze nog steeds of ze slaapt.

'Mijn grote meid,' mompelt vader. Hij peutert aan haar pyjama. Silke opent haar ogen. Ze kijkt naar de spin die in de hoek van het plafond zit. Hij hangt daar rustig in zijn web. Haar armen worden poten. Haar benen worden poten. Ze wordt kleiner en kleiner.
Ik ben een spin, denkt Silke. Ik hang in mijn web in de hoek van de kamer. Niemand weet dat ik hier hang en niemand kan er met de stofzuiger bij. Beneden in de kamer trekt een onbekende man de pyjama uit van een onbekend meisje. Ik ken ze niet, want ik ben een spin. Mijn web is stuk en het wordt hoog tijd dat ik het maak.

De zesde dag

Silke zit op de rand van Sophines bed. Sophine slaapt. Haar knuffels heeft ze in haar slaap van het bed gegooid. Vader komt binnen met pakjes. Zachtjes zingt hij: lang zal ze leven. Silke valt in en Sophine wordt wakker. Ze gaat gapend rechtop in bed zitten. 'Ik ben jarig!' roept ze uit. 'Waar is mama?'
'Mama slaapt nog,' zegt vader. Hij legt een pak op bed. 'Dit is van mama en mij.'
Sophine kijkt naar het pak. Ze scheurt het papier eraf. Het is een schommelset voor de pop. Precies wat ze wilde hebben. Ze vliegt vader om de hals.
'Mijn grote meid,' zegt hij.
Silke fronst haar wenkbrauwen. Nu is Sophine ook zijn grote meid. Een kleine prinses in haar kleine koninkrijk. Als ze niet oppast mag de oudste prinses niet meer naast de koning op de troon zitten, maar is er alleen plaats voor de jongste.
'Ik heb ook wat,' zegt ze snel. Ze zet haar cadeau op bed. Sophine pakt het pak met beide handen en voelt. 'Ik weet niet wat dit is.' Ze scheurt het open. Uit het kleurige

cadeaupapier komt een sneeuwwitte beer tevoorschijn. Sophines mond valt open.
'O!' roept ze. 'Deze is lief. Dit wordt mijn lievelingsbeer!'
Ze legt de beer naast zich in bed. Hij kan haar beschermen, denkt Silke. Als het een echte was. Sterk en metershoog, als hij op zijn achterpoten gaat staan. Hij zou wel raad weten met de koning.

Het is middag. Silke opent de deur en laat Engel binnen. Overal hangen slingers en ballonnen. Moeder staat in de keuken en snijdt de taart aan.
'Hallo.'
'Gefeliciteerd met Sophine,' zegt Engel. Ze geeft moeder een hand.
'Acht jaar alweer. Het gaat zo hard,' zegt moeder. 'Ik kan me nog goed herinneren dat ik acht werd. Voor mij geen taart.' Ze lacht. Het klinkt niet helemaal echt.
Sophine stuitert de keuken binnen. Op haar hoofd heeft ze een papieren kroon met een getekende acht erop. 'Raad eens hoeveel jaar ik ben.'
'Ik gok acht,' zegt Engel.
'Nu moet je me feliciteren,' zegt Sophine. Ze loopt naar Engel toe. Die geeft haar drie zoenen.
'Ik heb een pakje voor je.' Engel vist een rond, rood pakje uit haar zak.

Sophines ogen glinsteren als Engel het in haar handen legt. Ze scheurt het papier eraf. In het papier zit een schuddebol met een pandabeer erin. Als je schudt, dwarrelen er allemaal glitters door de bol. Op de voorkant staan Chinese letters.
'Deze bol komt uit de dierentuin van China,' zegt Engel.
'Ben je daar geweest?' vraagt Sophine.
Engel knikt.
'Vet,' zegt Sophine.
'Wat heb je nog meer gekregen?' vraagt Engel.
'Kom maar,' zegt Sophine. Ze pakt Engels hand en trekt haar mee naar de woonkamer. Silke loopt mee. Op tafel staan de cadeaus.
'Dit is mijn lievelingscadeau.' Sophine pakt een grote witte beer. 'Van Silke gehad.'
'Wat een mooie beer!'
'Lief, hè?'
Sophine knuffelt de beer. Moeder komt naast haar staan en slaat een arm om haar heen. 'Onze grote meid,' zegt ze. Moeder zegt dat bijna nooit. Het klinkt raar als zij het zegt. Maar Sophine kijkt trots naar Silke.
'Silke was altijd jouw grote meid. Nu ben ik dat ook,' zegt Sophine.
Ze kijkt haar grote zus triomfantelijk aan. Silke kijkt naar Engel, maar die kijkt met grote ogen naar Sophine.

'Ga jij tegen je vader zeggen dat de kinderen zo komen?' vraagt moeder aan Silke.
'Ik doe het,' roept Sophine. Ze stormt de keuken uit.
Engel en moeder lachen.

Een voor een komen de kinderen binnen. Ze geven een cadeautje aan Sophine en krijgen van moeder een feestmuts. Als iedereen binnen is wordt er gezongen en taart gegeten. Daarna gaan ze allemaal naar de tuin, spelletjes doen.
Silke gaat achter in de tuin zitten. Zo kan ze goed naar de spelende kinderen kijken die tikkertje doen. Sophine heeft twee vlechten met lintjes die om haar hoofd heen dansen.
Silke legt haar handen op het gras. Onder het gras is de aarde. De aarde is zwart en diep en rustig. Er wordt niet gesproken. Misschien wordt er wel gesproken, misschien wel heel veel meer dan boven de grond, maar de woorden blijven tussen de aarde plakken. Hoe dieper je gaat, hoe stiller, hoe zwarter. Silke kijkt naar haar handen. Het zijn klauwtjes waarmee ze goed zou kunnen graven. Haar huid wordt zo zwart als de aarde. Haar ogen blijven ogen, maar zonder dat ze zien. Om haar heen wordt het donker, aardedonker.
Ik ben een mol, denkt ze. Een mol op zoek naar een hol.

Ik graaf dieper en dieper. Misschien kom ik een regenworm tegen. Dat zou lekker zijn, want ik heb honger. Ik voel trillingen van boven komen. Het regent niet. De trillingen zijn zwaarder. Als van mensen die lopen. Er staat een mens boven me. Een klein mens, want de trillingen zijn niet zwaar. Ik graaf snel en rap, tot onder het mens. Het is een meisje. Met beide klauwtjes trek ik haar aan haar sokken naar beneden. De aarde in. Onder de grond blijft ze altijd zeven. Ze kan zoveel praten als ze wil en alleen ik, kleine mol, zal het horen. Ik zal naar haar luisteren. Ik zal haar voeren en ze zal slapen in haar bed van aarde, onder de grond.
'Meisje, wat kun jij toch dromen.' Silke kruipt vanuit de aarde omhoog. Haar klauwtjes worden handen. Haar ogen kunnen weer zien. Haar inktzwarte vacht wordt roze huid. Voor haar zit haar moeder gehurkt. Ze heeft een plastic bordje in haar handen met een stuk taart erop.
'Hier.'
Ze pakt het aan. 'Bedankt, mam.' Ze peutert aan het bordje. 'Mam?'
Moeder kijkt met gefronste wenkbrauwen naar de spelende kinderen.
'Mam?'
Ze draait zich om naar Silke. 'Wat is er, lieverd?'
'Ik heb een vriendin en die heeft problemen.'

'Hoe bedoel je?'
'Ze heeft problemen met haar vader.'
Silke prakt met haar vork in de taart. Ze durft haar moeder niet aan te kijken. 'Stel dat ik problemen heb met papa.'
'Dat bestaat niet. Jullie kunnen het zo goed met elkaar vinden,' zegt moeder. 'Soms ben ik zelfs een beetje jaloers. Net twee handen op één buik. Heel bijzonder.'
Moeder kijkt weer naar de spelende kinderen. Mam, ik ben hier, wil Silke zeggen.
'Ik dacht het al,' zegt moeder terwijl ze naar Engel staart. 'Aan Engel kun je zien dat ze problemen heeft.'
Moeder zwaait naar vader. Vader komt aanlopen. Moeder staat op en pakt zijn arm.
'Wat is er?' vraagt vader.
Moeder wappert met haar handen in de richting van de spelende kinderen. 'Hebben ze wel plezier? Zijn de spelletjes wel leuk genoeg? De buren hadden een clown.'
Vader staart moeder aan.
'De hele buurt had een clown. Jij zei dat we geen clown nodig hadden.'
Vader krabt in zijn haar. 'Waarom heb je dat dan niet geregeld?'
'Maar...' Moeder opent haar mond, maar er komen geen woorden uit. Haar mond klapt weer dicht. Moeder slikt.

Alles wat ze had willen zeggen, slikt ze in, denkt Silke. Moeders hoofd zit vol met niet gesproken woorden. Daarom heeft ze altijd hoofdpijn en kan ze niet slapen. Silke kijkt naar haar wanhopige gezicht. Op een dag is moeders hoofd zo zwaar dat ze valt en door de tuin rolt.
'Sophine is bang voor clowns,' zegt Silke.
Moeder kijkt Silke verbaasd aan.
'Echt waar?'
Silke knikt. Vader geeft haar een tikje tegen haar neus.
'Reddende engel.' Dan loopt hij weg.
'Ik ga chips halen,' zegt moeder. Ze wil weglopen, maar dan bedenkt ze zich. 'Als Engel problemen heeft, kun jij haar vast wel helpen,' zegt ze. Dan draait ze zich om.

Silke en Engel zitten op het bed in Silkes kamer. Ze tekenen hartjes in elkaars schrift. Silke denkt aan haar achtste verjaardag. Haar vader kwam binnen met nog een cadeautje. Hij zei dat hij het vergeten was. Het was al laat. Hij fluisterde. Eerst vond ze het wel gezellig dat hij nog langskwam. Toen kroop hij onder het dekbed.
Dat was haar achtste verjaardag. Silke kleurt een hart in. De rand is roze en de binnenkant wordt oranje.
'Ik ben bang dat hij naar Soof gaat,' zegt Silke.
'Ik ook,' zegt Engel. 'Je moet er met iemand over praten.'
'Ik praat met jou.'

'Met een volwassene.'
Silke kijkt naar de neuzen van haar schoenen. Ze moeten nodig gepoetst worden.
'Kun je niet met je moeder praten?' vraagt Engel.
Als ik haar vertel wat er aan de hand is, denkt Silke, dan breekt ze. In twee stukken. Daar sta ik dan met twee stukken moeder. Het onderstuk rent naar de keuken om chips te pakken. Het bovenstuk schudt haar hoofd en begint te huilen. En het komt nooit meer goed.
'Nee.'
'Met wie dan wel?'
Silke haalt haar schouders op. Ze zou het echt niet weten. Niemand zou haar geloven.
Engel staat op. 'Ik moet gaan. Zie ik je morgen in het park?'
'Misschien.'
Engel kijkt Silke strak aan met haar blauwe ogen. Ze kijkt een beetje verdrietig.
'Oké,' zegt Silke.
'Tot morgen.'
'Tot morgen.'

Het is laat. Silke ligt in bed. Ze luistert naar de voetstappen van vader op de gang. Ze houden stil op de overloop. Straks gaat hij naar Soof, denkt Silke. Ze schiet haar bed

uit. Als ze de deur opendoet ziet ze vader voor de kamer van Sophine staan.
'Ben je nog op?' vraagt hij.
'Ik kan niet slapen,' zegt Silke. Ze trekt een pruillip.
'Wil je een nachtzoen?'
Silke knikt en kijkt vader met grote ogen aan.
'Ik kom je instoppen,' zegt hij.

'Wat ben jij laat op?'
In de deuropening van de badkamer staat moeder.
Silke heeft een handdoek omgeslagen. Ze heeft net gedoucht.
'Je moet niet zo vaak douchen. Dat kost geld.' Moeder loopt naar de kast. Uit een potje pakt ze een pil. Met een slok water slikt ze hem in. Dan draait ze zich om. Ze kijkt naar de handdoek die Silke heeft omgeslagen.
'Deze is vies.' Moeder trekt de handdoek van Silke af. Ze pakt een punt en ruikt eraan.
'Gatver.' Ze gooit hem in de wasmand.
Silke staat in de badkamer. Met haar voeten op de zachte badmat. Haar huid is rood van het wassen en rimpelig van het lang onder de douche staan. Ze heeft kippenvel.
'Hier heb je een andere,' zegt moeder. 'Afdrogen en dan naar bed.'

‘Mam?’
‘Ja?’
‘Ik kan niet slapen.’
‘Net als je moeder.’ Ze gaat naar de kast. Uit hetzelfde potje pakt ze nu een pil voor Silke. ‘Niet tegen je vader zeggen. We willen hem niet ongerust maken, toch?’

De zevende dag

Silke loopt het park binnen. Ze heeft nagedacht en een besluit genomen. Maar nu moet ze het nog aan Engel vertellen.
Op de bank bij het grasveld zit Engel.
'Hoi.'
'Hoi.'
'Ik keek vanochtend in de kamer van Sophine. Lag ze met de beer in haar armen te slapen.'
Engel glimlacht. Ze kijkt naar Silkes vingers.
'Je hebt een nieuw ringetje,' zegt Engel.
Aan Silkes wijsvinger zit een dun gouden ringetje met een roze steen.
'Mooi, hè?'
'Heel mooi. Van je vader gekregen?'
Ze knikt.
'O.'
Silke blijft staan. 'Ik heb besloten dat ik niemand iets ga vertellen,' zegt ze.
Engel kijkt haar aan. 'Waarom niet?'
'Omdat...' Ze weet niet precies waarom. Omdat vader

zegt dat het hun geheim is. Omdat ze bang is dat moeder het niet aankan. Omdat niemand haar zal geloven. Omdat. Er zijn wel honderd soorten omdat.
Engel zegt niks.
'Omdat ze denken dat ik fout ben.'
'Jij hebt niets gedaan.'
'Hij zegt dat ik hem verleid heb.'
'Zegt hij dat?' vraagt Engel boos. 'En is dat zo?'
Silke bijt op haar lip. Misschien niet expres. Ze had... Ze heeft toch?
'Is dat zo?' vraagt Engel nog een keer.
'Nee,' zegt Silke. Het komt vanuit haar tenen. Ze heeft hem niet verleid. Ze heeft nooit gewild dat hij... Al zegt hij iets anders.
'Toch kan ik het niet,' zegt ze.
Engel staat op. 'Loop eens mee.' Engel loopt weg. Silke staat op en gaat achter haar aan. Engel loopt het pad af naar het midden van het park. Er ligt een grote vijver in de grote wei. Het water is zwart en diep. Er zwemmen twee zwanen en een paar eenden. Een eend heeft pulletjes. Ze zwemmen zo hard als ze kunnen achter mama aan, maar mama zwemt veel harder omdat ze langere poten heeft.
'Gooi die ring weg.'
'Wat?' zegt Silke.
'Doe je ring af en gooi hem in het water.'

'Waar slaat dit op? Jij bent gek. Het is een hartstikke mooie ring.'
'Het is omkoperij,' zegt Engel. 'Weet je waarom hij jou cadeautjes geeft?'
'Hij vindt me lief.'
'Hij wil dat je je mond houdt. Daarom heb je deze ring gekregen.'
'Ik krijg ook altijd iets als Sophine jarig is.'
'Wat een onzin,' zegt Engel. 'Waarom heb je hem gekregen?'
Voor duizend kusjes op mijn buik, denkt Silke. Hij heeft duizend kusjes gekocht. Ze friemelt aan de ring. Engel heeft gelijk. Hij wil dat zij haar mond houdt. Langzaam schuift ze de ring van haar vinger.
'Het is mijn lievelingskleur,' mompelt ze. Ze kijkt naar het steentje dat glimt en glanst. Silke steekt haar hand omhoog. Met een boog gooit ze de ring in het water. Hij plonst in het water en zinkt. Weg is de ring. Opgeslokt in het donkere blauw van de vijver.
'Ik moet hem terug,' roept Silke meteen. Wat heeft ze gedaan?
'Nee,' zegt Engel.
Als ze in een vis veranderde zou ze in het donkere water op zoek gaan. Ze zou de ring tussen haar dikke vissenlippen meenemen. Dan zou ze weer veranderen in Silke.

Mensen zouden raar opkijken als er ineens een meisje met een ring in haar mond uit de vijver opdook. Het zou haar niks uitmaken. Ze zou de ring om haar vinger schuiven. Zonder Engel een blik waardig te gunnen zou ze naar huis lopen. Met soppende schoenen.
Silke wordt geen vis en de ring is en blijft weg.
'Hij wordt boos als hij ziet dat-ie weg is,' zegt ze. Ze voelt de tranen in haar ogen branden. Hoe kon ze nou zo stom zijn? Straks houdt hij niet meer van haar.
'Je hebt het goed gedaan,' zegt Engel.
Silke knijpt in haar arm. Ze slikt haar tranen in. 'Maar ik kan het niet vertellen.'
'Je kunt het ook opschrijven.'
'En wat dan?'
'Dan laat je het aan iemand lezen.'
Silke haalt haar schouders op. 'Ik ken niemand.'
'De buurvrouw?'
'Die gelooft het nooit.'
'Juf Marian?'
Daar had Silke nog niet aan gedacht. 'Juf Marian is wel aardig, maar...' Het lijkt haar een raar idee dat juf het weet. Dan zou zij elke keer als ze Silke zou zien, daaraan moeten denken. Dan vindt ze haar misschien een vies kind.
'Ik weet dat ze al eerder iemand geholpen heeft.'
'Heb je haar over mij verteld?' vraagt Silke bang.

'Nee, natuurlijk niet,' zegt Engel. 'Kom, we gaan zitten.'
Ze gaan op een bank bij de vijver zitten. Engel haalt een kladblok en een pen tevoorschijn.
'Juf Marian is aardig,' zegt Silke. 'Maar...'
'Schrijf haar een brief,' zegt Engel. Ze geeft het kladblok aan Silke.
'Ik weet niet.' Silke peutert aan haar tas. 'Ik moet eerst bedenken wat ik erin zal zetten. Hoe moet ik beginnen?'
'Gewoon, zoals je altijd een brief begint.'
'Lieve juf Marian, beste juf Marian, hoi juf Marian,' somt Silke op.
'Hoe je het liefst begint.'
'Lieve juf Marian is slijmerig. Beste juf Marian is stom. Hoi juf Marian kan niet.'
Engel wiebelt met haar benen. Silke begint te schrijven.

Voor juf Marian,

'Wat nu?'
Silke kijkt Engel aan. 'Wat nu?'
Engel kijkt terug met ogen die blauwer zijn dan blauw. Silke wordt er rustig van.
'Ik moet het opschrijven.'
Engel knikt.
'Eerst dit.'

Ik heb een probleem. Het is zo erg dat ik het bijna niet op durf te schrijven. Maar ik moet het aan iemand vertellen.

'Misschien gelooft ze me niet,' zegt Silke.
Engel schudt haar hoofd. 'Ze gelooft je wel.'
'Waarom zou ze me geloven?'
'Ik geloof je ook.'
'Jij bent jij,' zegt Silke. 'Dat is anders.'
Engel glimlacht. 'Denk jij echt dat ze je niet gelooft?'
'Ze kent mijn vader.'
'En?'
'Nou, gewoon,' zegt Silke. Ze kauwt op de pen. Misschien heeft Engel gelijk. Misschien zal juf Marian haar geloven. Dan buigt ze zich over het kladblok en schrijft snel. Het ene woord na het andere valt van haar hoofd op de bladzij.

Ik heb een probleem met mijn vader. Hij is heel lief maar soms niet. Als ik slaap dan komt mijn vader op mijn kamer. Hij maakt me wakker en wil me dan vasthouden. En zo.

Silke kijkt op. Ze kijkt Engel met grote ogen aan.
'Je leest niet mee, hè?' Ze houdt haar hand voor de bladzij.

'Nee,' zegt Engel. 'Ik lees niet mee.'
Silke buigt zich voorover.

Ik ben zo bang dat hij ook naar mijn zusje gaat. Dat wil ik niet. Ik wil ook niet dat hij aan mij zit. Hij mag het niet te weten komen, dat ik het opgeschreven heb. Wilt u het dus niet doorvertellen? Kunt u hem stoppen?

De laatste zin krast ze door.

Groeten van Silke

'Klaar,' zegt Silke.
'Mooi,' zegt Engel. 'Mag ik hem lezen?'
Silke houdt de brief in haar hand. Ineens scheurt ze hem in stukken. Ze laat het papier door de lucht op de grond dwarrelen. Engel staat op. Ze raapt de stukken brief bijeen en gaat weer op de bank zitten. Voorzichtig legt ze het stapeltje neer. Uit haar zak haalt ze een schaartje en plakband. Als een puzzel legt ze de stukken papier op de juiste plaats en rustig plakt ze de stukken met plakband weer aan elkaar.
'Loop jij altijd met schaar en plakband op zak?' vraagt Silke.

'Als het nodig is wel,' zegt Engel. Ze leest de brief. Als ze hem uit heeft zijn Engels ogen donkerblauw van kwaadheid en haar handen zijn gebald tot vuisten.
'Het liefst zou ik jouw vader...' begint ze. Silke schrikt. Niemand mag haar vader iets aandoen.
Engel slikt haar woorden in. Ze schudt haar hoofd. 'Het is goed dat je die brief geschreven hebt. Heel goed.' Langzaam worden Engels ogen weer zo blauw als de lucht op een warme zomerdag.

De achtste dag

Als de bel gaat, rent iedereen de klas uit. Iedereen behalve Silke en Engel. Silke zou het liefst met de andere kinderen mee naar buiten rennen. Rechtstreeks naar het park en daar veilig op haar bank gaan zitten. Maar achter haar staat Engel. Ze heeft het idee dat die haar tegenhoudt als ze ook maar één stap in de verkeerde richting zet.
'Kom,' zegt Engel.
'Ik durf niet,' sist Silke.
'Is er iets?' vraagt juf Marian. Ze staat naast haar bureau.
Silke schudt haar hoofd.
'Ze wil iets vertellen maar ze durft niet,' zegt Engel.
Silke geeft haar een por in haar zij. 'Ik vertel het morgen wel,' sist ze.
'Nee, nu,' sist Engel terug.
Juf Marian fronst haar wenkbrauwen. 'Is er iets met jullie?'
Engel knikt.
'Silke, is er iets?'
'Ik durf het niet te zeggen.'
'Je kunt mij alles vertellen. Dat weet je,' zegt juf.
Silke kijkt naar de grond. Ze weet dat ze alles kan vertel-

len. Juf denkt aan kauwgom stelen bij de supermarkt. Ze denkt misschien aan pesten, of aan ouders die gaan scheiden, maar alles? Echt alles?
Silke kijkt Engel aan. Engels ogen zeggen: 'Je kunt het.' Dan knipoogt ze. Ze loopt het lokaal uit. Help! denkt Silke. In de deuropening draait Engel zich om. 'Dag Silke,' zegt ze. Het klinkt als een afscheid.
'Ik zie je zo.'
Engel schudt haar hoofd, maar dat ziet Silke niet. Juf Marian gaat zitten.
'Neem een stoel.'
Silke gaat zitten. Ze is bijna te lang voor die stoeltjes. Over twee maanden gaat ze naar de middelbare school. Daar zijn de tafels en stoelen vast groter.
'Waar denk je aan?' vraagt juf Marian.
'Aan de middelbare school,' zegt Silke.
'Ben je bang om daarnaartoe te gaan?'
'Ja,' zegt Silke. 'Ik blijf liever hier.'
'Waarom denk je dat het daar niet leuk is?'
'Het lijkt me zo groot en druk.'
'Dat kan ook heel gezellig zijn.'
'Misschien wel,' zegt Silke. Ze peutert aan haar tas.
'Is dat waarover je wilde praten?' vraagt juf Marian.
Silke slikt. Ze moet huilen maar ze wil niet huilen. De tranen branden in haar ogen.

‘Heb je problemen thuis?’
Ze knikt.
‘Met je ouders?’
Silke staat op. Dit is verkeerd.
‘Kom, blijf zitten,’ zegt juf Marian.
Haar voeten kleven aan de grond vast. Ze kan niet weg.
‘Alsjeblieft,’ zegt juf Marian. ‘Wat is er met je ouders?’
Silke gaat zitten. Langzaam doet ze haar tas open. Achter in haar schrift zit de brief. Hij voelt raar aan met al dat plakband. Juf Marian steekt haar hand uit, maar ze geeft hem nog niet.
‘U mag niets vertellen. Belooft u dat u niets zult vertellen, aan niemand?’
Juf Marian knikt. ‘Dat beloof ik.’
Silke geeft de brief. Juf Marian pakt hem aan, vouwt hem open en begint te lezen. Ze fronst tijdens het lezen. Op haar voorhoofd ontstaan twee diepe denkrimpels. Als ze hem uit heeft, leest ze hem nog een keer. Dan geeft ze de brief met een zucht aan Silke terug. ‘Ik weet niet wat ik moet zeggen,’ zegt ze.
Gelooft ze me niet? denkt Silke.
‘Ik wist dat er iets was…’ gaat juf Marian verder. ‘Maar… dat het dit is. Ik had het nooit gedacht. Wat ontzettend naar.’
Ze gelooft me, denkt Silke. Ze probeert haar tranen weg

te slikken maar het zijn er te veel. Ze rollen gewoon uit haar ogen, over haar wang. De één na de ander. Ze kan ze niet stoppen. Juf Marian wil haar hand op haar schouder leggen, maar Silke draait weg. Ze huilt met horten en stoten. Juf Marian pakt een zakdoek en geeft hem aan haar.
'Wat jouw vader doet, dat mag niet,' zegt juf Marian. 'Het is niet alleen naar dat hij dat doet. Het is ook verboden bij de wet.'
Silke schrikt. 'Ik wil niet dat hij de gevangenis ingaat. Dat wil ik niet. Is dat echt zo?'
'Het kan wel. Wat wil jij dat er gebeurt?' vraagt juf Marian.
'Ik wil dat hij van Sophine afblijft.'
'En van jou?'
'Als hij maar van Soof afblijft,' zegt Silke. 'Ze is net acht geworden. Toen begon het bij mij ook. Op mijn verjaardag. Hij mag niet aan haar komen.'
'Ik vind dat hij ook van jou moet afblijven,' zegt juf Marian.
Silke slikt. 'Maar het is mijn schuld,' zegt ze.
'Hoezo?'
'Ik doe iets.'
'Wat dan?'
Silke haalt haar schouders op. 'Hij zegt dat ik...' Ze kan het bijna niet zeggen. '... het uitlok.'

Juf Marian slaat met haar hand op de tafel. 'Wat een onzin. Hoe kan jij dat uitlokken? Het is jouw schuld niet. Echt niet.' Ze is boos. Ze kijkt Silke diep in haar ogen. 'Het is jouw schuld niet! Geloof je me?'
Silke staart naar het tafelblad.
'Wat zou je nu willen?'
'Ik wil dat hij stopt,' zegt Silke.
'Hoe kan ik daarvoor zorgen?'
Dat weet Silke niet. Volgens haar is er geen oplossing. 'Als hij te weten komt dat ik het heb verteld...'
'Wat dan?'
Silke kijkt juf Marian aan. 'Ben ik zijn grote meid niet meer.'
'Ik denk het niet,' zegt juf Marian. 'Maar ik denk wel dat hij heel kwaad wordt. Weet je moeder ervan?'
Silke haalt haar schouders op. 'Ik weet niet. Ik denk het niet.'
Juf Marian zucht. Silke veegt haar tranen weg en snuit haar neus. Juf Marian denkt na.
'Weet je wat me slim lijkt,' zegt ze. 'Jij denkt vanavond na over hoe je denkt dat ik je kan helpen. Dan spreken we af dat je morgen na schooltijd weer naar mij toe komt. Ik ga vanavond iemand opbellen, zonder dat ik jouw naam zeg, om te vragen hoe ik jou het beste kan helpen. Is dat een goed idee?'

Silke is ineens heel erg moe. Het liefst zou ze willen gaan slapen. Onder een boom op het mos. Ver weg van iedereen. En dat ze dan wakker zou worden en dat alles een droom blijkt te zijn.
'Zie ik je morgen?' vraagt juf Marian.
Silke kijkt in de groene ogen van juf Marian. In de iris zitten allemaal gele vlekjes. Die heeft ze nog nooit gezien.
'Ja,' zegt ze.
'Durf je naar huis? Ik zou je het liefst meenemen naar mijn huis, maar dat kan niet.'
Silke bijt op haar lip. Ze kan zich nog niet voorstellen dat het veranderen kan. Juf Marian staat op. Silke staat ook op.
'Wees maar niet bang. We komen er wel uit.'
Silke loopt het lokaal uit.
'Silke?'
Ze draait zich om.
'Ik ben blij dat je het me verteld hebt,' zegt juf Marian. 'Heel blij.'
Silke lacht. Al weet ze zelf niet of ze er blij mee is dat ze het verteld heeft. Ze is in ieder geval blij dat juf Marian het gelooft.

Ze loopt de school uit. Het schoolplein is leeg. Waar is Engel? Misschien is ze nog op het toilet? Silke gaat op het stenen muurtje naast de deur zitten. Haar handen drukt ze onder haar benen. Er zit iets hards in haar broekzak. Wat raar. Ze gebruikt haar broekzakken nooit. Sophine sjouwt altijd van alles mee. Knikkers, potloodjes die bijna op zijn, elastiekjes voor in haar haar. Ook als ze stuk zijn.

Ze haalt het harde ding tevoorschijn. Het is een zilveren engel met glazen vleugels, heel klein. Hoe komt dat nou in haar broekzak? Ze kijkt om zich heen. Dan ziet ze dat Trista uit het fietsenhok komt lopen.

'Hoi.'

'Hoi.'

'Mijn ouders zijn er ook nog niet,' zegt Trista.

'O,' zegt Silke. 'Ik wacht niet op mijn ouders. Ik zoek Engel.' Ze stopt de engel terug in haar broekzak. 'Is ze misschien in het fietsenhok?'

Trista schudt haar hoofd. 'Ik heb haar niet gezien. Jullie zijn goede vrienden, hè?'

'Ja.'

'Ik hoorde dat ze gaat verhuizen.'

'Wat?'

'Ze zei dat ze hier niet lang zou blijven. Wist je dat nog niet?'

Silke bijt op haar lip. Waarom heeft Engel haar dat niet verteld?

Trista lacht. 'Ik sta hier al wel een halfuur. Mijn vader vergeet me wel vaker op te halen. Ik ken jouw zusje.'
'O'.
'Sophine, toch?'
'Ja.'
'Sophine speelt wel eens met mijn broertje.'
'O ja,' zegt Silke. Soof heeft het wel eens over een Patrick bij wie ze gaat spelen.
Een auto rijdt het schoolplein op. Er wordt drie keer getoeterd.
'Da's mijn vader,' zegt Trista. 'Heb je zin om met mij mee te gaan? Dan laat ik je mijn kamer zien. Ik heb twee cavia's.'
Silke denkt na. Ze weet niet of ze mee wil. Hoewel ze geen zin heeft om naar huis te gaan.
'Hou je niet van dieren?'
'Jawel,' zegt ze. 'Ik heb een konijn.'
'Hoe heet-ie?'
'Ko.'
'De mijne heten Caaf en Ia.'
Silke moet lachen. Ze denkt aan de eerste ontmoeting met Engel. Trista lacht ook.
Het portier van de auto zwaait open.
'Kom op, Trista.'
'Hoi pap,' zegt Trista. 'Mag Silke mee?'

‘Jij bent de zus van Sophine, niet?’
Silke kijkt naar de man achter het stuur. Ze knikt.
‘Stap maar in.’
Trista stapt in. Silke kijkt achterom. Even denkt ze dat ze Engel ziet lopen, maar als ze beter kijkt ziet ze alleen een boom. Voor het raam van de school staat juf Marian. Ze zwaait. Silke zwaait terug.
‘Hee, sufmuts. Kom je nog?’ vraagt Trista.
Silke stapt in.
Als de bomen voorbijsuizen en Trista met haar vader praat, voelt Silke in haar zak. Ze heeft een engel van Engel gekregen. Hoort ze nu bij de verzameling van gelukkige mensen? Niet dat zij zich gelukkig voelt. Maar die engel heeft ze vast niet zomaar gekregen. Ze is opgelucht. Alsof er een steen uit haar maag is gehaald.